Le faramineux
pouce de Paul

Marie-Agnès Gaudrat est née en 1954 à Paris. Après des études de lettres et de sciences, elle débute chez Bayard Presse à qui elle est restée fidèle : elle est aujourd'hui rédactrice en chef de *Pomme d'Api*. Maman de trois jeunes enfants à l'esprit aventurier, elle rêve de les entraîner à la découverte du monde. En attendant, elle écrit pour eux... et pour tous les autres ; ses albums sont publiés par Bayard Éditions.

Du même auteur dans Bayard Poche :
Une poule trop bien élevée - Timothée, fils de sorcière - Surprise chez les Dupont - La rentrée de la famille Cochon - La famille Cochon aux sports d'hiver - La famille Cochon déménage (Les belles histoires)

Tony Ross vit en Angleterre, où il est né en 1938. Enfant, il rêve de devenir pilote ou musicien, mais sa passion pour le dessin l'emporte. Il commence par créer des illustrations humoristiques pour la presse, puis écrit et illustre des contes et des histoires drôles pour les enfants. Professeur dans l'une des plus importantes écoles d'illustration anglaises, Tony Ross a publié de nombreux ouvrages, édités en France par Gallimard, Hatier, Le Seuil.

Du même illustrateur dans Bayard Poche :
Les trois fileuses - Le cadeau magique (Les belles histoires)

© Bayard Éditions, 1997
Bayard Éditions est une marque
du département Livre de Bayard Presse
ISBN 2.227.72812.4

Le faramineux pouce de Paul

**Une histoire écrite par Marie-Agnès Gaudrat
illustrée par Tony Ross**

Deuxième édition

BAYARD POCHE

Quand Paul est né, ses parents
ne se sont pas tout de suite doutés
qu'il avait un pouce
absolument faramineux*.
Ce pouce avait un air de pouce de bébé.
Un peu plus fort peut-être,
disait son papa.
Un peu plus tendre peut-être,
disait sa maman.
Mais n'importe qui d'autre pouvait voir
qu'il ressemblait exactement
à n'importe quel pouce de bébé.

* Ce mot est expliqué page 44, n° 1.

Un jour pourtant, un événement
tout à fait étonnant
leur mit enfin la puce à l'oreille*.
C'était un dimanche matin.
Comme tous les matins,

* Cette expression est expliquée page 44, n° 2.

ils pensaient être réveillés
vers six heures par leur bébé
qui avait une terrible envie de téter
tous les matins à six heures
depuis qu'il était né.

Mais, oh surprise, ce matin-là,
toute la famille dormait
encore à midi !
Car Paul avait trouvé son pouce
et il le suçait d'un air gourmand
qui aurait fait envie
à tout un régiment*.

* Ce mot est expliqué page 45, n° 3.

À partir de ce jour, les parents de Paul
n'ont eu que des raisons de se féliciter
de ce petit pouce-là.
Il calmait les colères,
il apaisait la faim,
il rendait patient le matin
et il faisait supporter
tous les embouteillages.
Bref, c'était un petit pouce
comme les parents aimeraient
en avoir plus souvent.

En grandissant,
Paul continue de sucer son pouce.
Mais plus il grandit,
plus il a tendance
à le sucer en se cachant.
C'est que son pouce commence
à être trop connu
et à faire trop d'envieux,
partout, même dans la rue.
Les petites filles le regardent
avec des yeux brillants,
certains messieurs bien habillés
rêvent de pouvoir se l'acheter.
Et des vieilles dames dans les squares
n'osent pas, heureusement,
mais si elles osaient,
elles y goûteraient carrément.

Pour Paul, c'est un peu inquiétant,
alors à chaque fois
qu'on lui fait des compliments,
il prend un air modeste
en disant :
— Vous n'y connaissez rien en pouces.
N'allez pas croire qu'il est spécial.
C'est un petit pouce
comme tous les pouces,
exactement.

Jusqu'au jour où la reine d'Angleterre,
elle-même, finit par le remarquer.
Ça devait arriver !
Paul se promenait avec ses parents
tout près de Buckingham Palace*,
quand la reine passe.
Elle s'arrête net, et elle dit
d'un ton tout attendri :
– Mon Dieu, que ce petit pouce-là
a l'air appétissant !

Les parents de Paul
auraient dû être fiers.
Vous pensez... la reine d'Angleterre !
Eh bien, pas du tout.
Du jour au lendemain, le père déclara :
– Tu nous as assez fait honte
comme ça,
tu vas arrêter de sucer ce pouce-là !
Et à partir de ce jour,
allez donc comprendre pourquoi,
les parents, les voisins,
les voisines, les vieilles dames,
la maîtresse, les copines,
tout le monde
se moque du pouce de Paul.

Une fois, c'est sa mère qui lui dit :
– Mais tu vas arrêter de le sucer ?
Regarde-moi ça, il est tout ratatiné,
complètement décoloré,
on dirait un vieux chewing-gum
mâchouillé !
Paul ne dit rien,
mais il n'en pense pas moins :
« Si c'est pas malheureux d'être maman
et d'être aussi nulle en pouces ! »

Ce n'est pas
un vieux chewing-gum mâchouillé,
c'est un faramineux faiseur de rêves.
Quand je m'ennuie,
c'est lui qui déroule devant moi
un ruban de rêves
qui n'en finit pas !

Une autre fois, c'est son père qui lui dit :
– Mais lâche-moi donc ce nid à microbes !
Tu vois bien que tous tes doigts
sont gris,
il n'y a que ton pouce qui est rose.
Tu pourrais te laver les mains
avant de sucer ton pouce, au moins !
Paul ne dit rien,
mais s'il osait, il lui dirait :
« Ça devrait être interdit d'être papa
quand on est aussi nul en pouces ! »

Ça n'est pas un nid à microbes,
c'est un faramineux
chasseur de chagrins.
Et si tu crois que,
quand on tombe au fond d'un chagrin,
on a le temps d'aller se laver les mains,
c'est que vraiment tu n'y connais rien !

Une fois, enfin, c'est un dentiste,
grand et gros
qui dit à Paul :
– Mais qu'est-ce que c'est que ce pouce
pousseur de dents
et déformeur de mâchoires ?
Si tu continues à le sucer,
eh bien, moi, je vais te le couper !

Alors là, Paul est écœuré. Il se dit :
« C'est bien la peine d'être
aussi savant en dents
pour être aussi nul en pouces !
Mon pouce est peut-être
un pousseur de dents,
mais c'est un faramineux gobeur de peur,
monsieur ! »

Et qu'est-ce que je ferais, moi,
quand des grands et gros messieurs
s'approchent de moi, tout près, exprès,
avec des appareils affreux,
si mon pouce n'était pas toujours là,
prêt à me débarrasser
de mes peurs bleues ?

Et il s'en va de ce pas
voir la seule personne
qui puisse le sauver :
la reine d'Angleterre, elle-même.
Il dit :
– Bonjour, Majesté, j'ai un problème.
J'ai un pouce que le monde entier
veut m'empêcher de sucer.
La reine se penche pour demander :
– Ça ne serait pas par hasard
un pouce faramineux ?

Alors Paul commence à lui raconter
son pouce gobeur de peurs
et chasseur de chagrins,
son pouce faiseur de rêves
et débroussailleur de soucis,
son pouce avaleur de larmes
et briseur de cauchemars,
son pouce...

Bref, Paul serait sans doute
encore en train de parler
si la reine ne l'avait pas interrompu
en disant :
– Eh bien, mon petit gars,
tu as un bel avenir devant toi !

Quand je pense que j'ai choisi
mon faramineux ministre* de la Guerre
simplement parce que son pouce
était un déclencheur de paix,
et mon faramineux

ministre des Transports
parce que le sien était
inventeur d'aventures,
je me dis qu'avec un pouce comme le tien,
tu vas peut-être devenir roi !

Là, Paul est très gêné.
Tout de même, il ne faut rien exagérer.
Mais, en raccompagnant Paul à la porte,
la reine ajoute :
– Pour être tout à fait honnête,
il faut quand même reconnaître

qu'aucun de mes faramineux ministres
n'a plus le temps de sucer son pouce,
aujourd'hui.
Parce que pour bien faire un métier,
on n'a pas trop de ses dix doigts
en liberté !

Paul est malin.
Pas besoin de lui faire un dessin,
il a compris.
Il rentre chez lui
et il explique à ses parents
que plus tard, quand il sera roi,
il aura besoin de ses dix doigts.
Mais qu'en attendant, il aimerait bien
encore un peu sucer son pouce...
faramineux.

LES MOTS DE L'HISTOIRE

1. Quelque chose de **faramineux**, c'est quelque chose d'étonnant, d'extraordinaire, de vraiment prodigieux.

2. **Avoir la puce à l'oreille**, c'est se douter de quelque chose.

3. Un **régiment**, c'est un groupe de soldats. On parle aussi de régiment quand on veut dire qu'il y a un grand nombre de personnes.

4. **Buckingham Palace**, c'est le nom du palais de la reine d'Angleterre.

5. Un **ministre**, c'est quelqu'un dont le métier est d'organiser au mieux la vie dans son pays.

Les belles histoires,

de Bayard Poche, c'est une série de livres pour rire, s'émouvoir et rêver.

Des livres d'humour
Les mots de Zaza (BH 25)

Zaza est une souris rigolote qui collectionne... les mots. Les petits, les moyens, mais aussi les gros... Ceux qui font scandale et froid dans le dos !

Écrit par Jacqueline Cohen et illustré par Bernadette Després

Des livres sur la vie, ses joies, ses peines
Poulou et Sébastien (BH 17)

Ils sont si différents qu'ils n'auraient jamais dû se rencontrer. Mais l'amitié, ça peut être aussi un coup de foudre !

Écrit par René Escudié et illustré par Ulises Wensell.

Des livres où les animaux sont les héros
Mic la souris (BH 5)

Trouver une maison de souris, ce n'est pas facile quand le soulier et le cartable ont déjà des locataires

Écrit par Anne-Marie Chapouton et illustré par Thierry Courtin

Et aussi des contes, des histoires fantastiques, du frisson...

Tous les mois, la lecture plaisir avec le magazine de ton choix

Les Belles Histoires
Dès 3 ans.
*Une **belle histoire** qui arrive tous les mois, c'est une chance de plus de partir chaque soir dans de nouvelles aventures extraordinaires. Avec en supplément des jeux, des chansons et les héros espiègles : Charlotte et Henri.*

Pomme d'Api
Dès 3 ans.
*Avec Petit Ours Brun, Mimi Cracra et compagnie, envole-toi à la découverte du monde ! Il n'y a pas mieux que les histoires, les jeux et les surprises de **Pomme d'Api** pour rire, s'amuser, inventer.*

Youpi
Dès 4 ans.
De la maternelle au CE1.
*Est-ce le vent qui fait avancer les avions ? Pourquoi il pleut ? Pour tout savoir sur l'histoire, les animaux, les sciences et la nature, retrouve tous les mois **Youpi** le petit curieux.*

Si tu veux recevoir un magazine en cadeau ou t'abonner, tél. : 01 44 21 60 00

Achevé d'imprimer en Juillet 1999 par OBERTHUR Graphique
35000 RENNES - N° 2349
Dépôt légal : Avril 1997 - N° Editeur : 4680
Imprimé en France